ZÉ PAULO BECKER

LEVADAS BRASILEIRAS PARA VIOLÃO

BRAZILIAN GROOVES FOR GUITAR

capa / *cover*: **Verônica d'Orey**
ilustração / *illustration*: **Denise Becker**
projeto gráfico e diagramação / *graphic art and layout*: **Ricardo Gilly**
revisão musical / *musical revision*: **Ricardo Gilly**
revisão de texto / *text revision*: **Rosana Tibúrcio**
versão para o inglês / *english translation*: **Mark Lambert**
fotos / *photos*: **Ratão Diniz, Marcelo Correia** (contracapa / *back cover*)
músicos nos áudios / *musicians*:
violão / *acoustic guitar*: **Zé Paulo Becker,**
percussão / *percussion*: **Bernardo Aguiar**
técnico de gravação / *recording engineer*: **Bernardo Aguiar** (estúdio / *studio*: Reco-Reco de Mola)
mixagem e masterização / *mixing and mastering*: **Henrique Vilhena & Lucas Ariel**
produção executiva dos áudios / *executive producer of the audios*: **Valéria Lobão**

AGRADECIMENTOS

Ao Bernardo Aguiar, grande músico e parceiro.

Ao compadre e mestre Marco Pereira.

Aos amigos Alex Moraes, Ricardo Gilly, Verônica d'Orey, Valéria Lobão e Henrique Vilhena.

Aos fotógrafos Marcelo Correia e Ratão Diniz.

Aos meus pais Pepê e Denise, pelo apoio sempre.

Aos meus alunos, que muito me estimularam para realização deste trabalho.

THANK YOU'S:

To Bernardo Aguiar, a great musician and partner.

To my Godfather and master, Marco Pereira.

To my friends Alex Moraes, Ricardo Gilly, Verônica d'Orey, Valéria Lobão & Henrique Vilhena.

To the photographers, Marcelo Correia and Ratão Diniz.

To my parents, Pepê and Denise, for your constant support.

To my students, that greatly inspired me to make this book.

2ª edição, Rio de Janeiro, 2018

www.zepaulobecker.com.br
www.triomadeirabrasil.com.br

Este livro é dedicado à Clara e à Beth.
This book is dedicated to Clara and Beth.

Prefácio

Minha história com a música começou quando ganhei um violão do meu pai, como presente de aniversário de dez anos. Dos 10 aos 23 anos estudei violão clássico. Após anos de contato com o repertório erudito e de alguma experiência como concertista, decidi fazer uma guinada de 180 graus em direção à música popular brasileira.

Passei a me interessar especialmente pelo violão de acompanhamento, até porque na música erudita minha vivência até então era como solista. Além do estudo de harmonia funcional (mão esquerda), observei a importância do papel da mão direita na música brasileira. Essa função ou a condução rítmica da mão direita é o que se chama "levada".

Comecei então a pesquisar, a observar, a tirar de ouvido grandes mestres como Marco Pereira, Mauricio Carrilho, Raphael Rabello, Baden Powell, Hélio Delmiro, Romero Lubambo, João Bosco, Gilberto Gil, Luis Felipe de Lima, Rogério Souza, Cláudio Jorge, Carlinhos Leite, Toni 7 Cordas, Carlinhos 7 Cordas, entre outros. Aprendi muito também através do contato direto com alguns desses violonistas, olhando, ouvindo e copiando. Aos poucos fui criando minhas próprias levadas.

A ideia deste livro é oferecer ferramentas e informações para que o estudante de violão aumente seu vocabulário rítmico e, posteriormente, crie suas próprias levadas. Entendo que, extrapolando os conceitos básicos, as levadas passam a ser frutos também da criatividade. Sua elaboração depende, além disso, de um toque pessoal. Como dizia Ian Guest em seu curso de composição: "uma boa ideia de levada muitas vezes já é meio caminho andado para uma boa composição." Algumas ideias de levadas criadas para esse livro acabaram indo além do papel de acompanhamento, que a princípio é a função inicial da levada, e viraram pequenas peças de violão, foi o que acabei chamando de "Quando a levada vira música".

Registrei aqui vários exemplos de condução de mão direita de diversos gêneros brasileiros, a partir de uma visão pessoal, sem me prender a conceitos teóricos, mas a partir do que ouvi e toquei de música brasileira. É um trabalho não só de pesquisa, mas também de criação. Foquei nos gêneros que tive maior contato, a partir de minha vivência de mais de 15 anos tocando na Lapa e a partir de minha experiência acompanhando grandes nomes da música popular como Ney Matogrosso, Elza Soares, Armandinho, Déo Rian, Ronaldo do Bandolim, Paulo Moura, Marco Pereira, Roberta Sá, Zé Renato, Elton Medeiros, Guilherme de Brito, Marcos Sacramento, entre outros. Utilizei também um pouco do material extraído da minha pesquisa de mestrado intitulada *O Acompanhamento do Violão de Seis Cordas no Regional de Choro, a partir de sua visão no Conjunto Época de Ouro*. Não por acaso, dei mais ênfase às levadas de Samba, Choro, Baião e Maxixe, mas apresento também algumas sugestões de levadas para Frevo, Maracatu, Bossa-nova, Maculelê, Jongo, Samba de Roda, Chula, Ijexá, Afoxé, Sambalanço, Funk e outros ritmos. No site ***zepaulobecker.com.br*** você encontra os áudios com todos os exemplos gravados (senha de acesso: levadasbra). Aconselho àqueles que queiram se aprofundar no assunto a conhecer também os livros de Marco Pereira e de Nelson Faria.

As levadas aqui apresentadas não se propõem a serem definitivas ou exatas. Ao serem tocadas por outra pessoa já irão soar diferente. E a ideia é essa mesmo, pesquise suas próprias levadas a partir dos exemplos aqui expostos e crie outras.

Existem duas maneiras de se pensar a levada. Uma seria do violão sozinho explicar todo o ritmo, que acontece na maioria das levadas aqui apresentadas. A outra seria o violão se encaixar numa base rítmica. Por isso alguns dos exemplos gravados foram apresentados com percussão.

Preface

My story with music began when I received a guitar from my father as a birthday gift when I turned ten years old. From the age of 10 until 23, I studied classical guitar. After years of immersion in the Classical repertoire and some experience as a concert soloist, I decided to do a 180-degree turn toward Brazilian popular music.

I became interested especially in guitar accompaniment, because my Classical music experience, up to that time, had only been as a soloist. In addition to the study of functional harmony (left hand), I observed the important role of the right hand in Brazilian music. This function, or driving rhythm of the right hand, is what is called "groove".

I began to research, observe and transcribe great masters such as Marco Pereira, Mauricio Carrilho, Raphael Rabello, Baden Powell, Hélio Delmiro, Romero Lubambo, João Bosco, Gilberto Gil,
Luis Felipe de Lima, Rogério Souza, Cláudio Jorge, Carlinhos Leite, Toni 7 Cordas, Carlinhos 7 Cordas, among others. I also learned a lot through direct contact with some of these guitarists, watching, listening and copying. Gradually I was creating my own grooves.

The idea for this book is to bring tools and information to the guitar student and to increase his/her rhythmic vocabulary and, eventually, for them to create their own grooves. He should understand, after extrapolating from the basic concepts, that the grooves are also the fruit of creativity and, therefore, also depend on a personal touch. Furthermore, as Ian Guest said in his composition course: a good groove idea can often be already halfway to a good composition. Some groove ideas created in this book ended up going beyond the role of accompaniment, which is the first function of any groove, and ultimately became small compositions for the guitar. This is what I mean by the phrase, "When the groove becomes music".

I notated here several examples of groove patterns for the right hand from various genres of Brazilian music. I started from a personal view, from listening and playing Brazilian music and did not get bogged down in theoretical concepts. My work involved not only research but also creation. I focused on genres that I had the most contact with, from my experience of over 15 years of playing in Lapa and from my experience in accompanying the great artists of Brazilian popular music, such as, Ney Matogrosso, Elza Soares, Armandinho, Déo Rian, Ronaldo do Bandolim, Paulo Moura, Marco Pereira, Roberta Sá, Zé Renato, Elton Medeiros, Guilheme de Brito and Marcos Sacramento, among others. I also used a little of the material extracted from my Master's thesis, entitled, Six String Acoustic Guitar Accompaniment in Regional Choro, as it appeared in the Conjunto Época de Ouro. *Not coincidentally, I gave more emphasis to Samba, Choro, Baião and Maxixe grooves, but I also presented some suggestions for Frevo, Maracatu, Bossa Nova, Maculelê, Jongo, Samba de Roda, Chula, Ijexá, Afoxé, Sambalanço, Funk and other rhythms. At* **www.zepaulobecker.com.br** *you can find all of the examples recorded (password: levadasbra). I advise those who want to delve deeper into the subject to also investigate the books of Marco Pereira and Nelson Faria.*

The grooves presented here are not intended to be definitive or literal. When played by another person each will sound differently. This, ultimately, is my proposition: namely, that the student should search out and develop his own grooves from the examples shown here.

There are two ways of thinking about grooves. One would involve a solo guitar, which, alone, could articulate all of the rhythmic nuances (and accounts for most of what I have presented here). The other would involve how the guitar fits into the rhythm section. For this reason, some of the examples were recorded along with percussion.

ÍNDICE / *INDEX*

Alguns padrões rítmicos básicos / *Some basic rhythmic patterns*:
Uma boa maneira para entender as levadas é imaginar o tamborim fazendo esses ritmos.
A good way to understand this is to imagine a tamborim playing these rhythms.

SAMBA

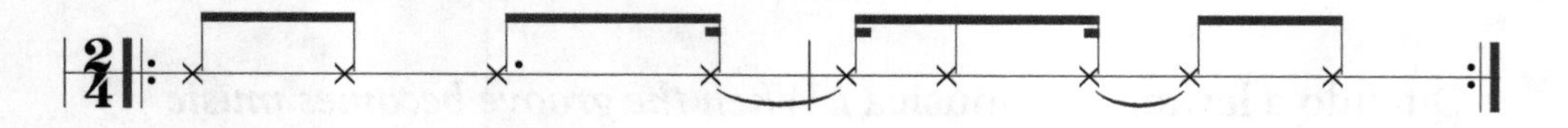

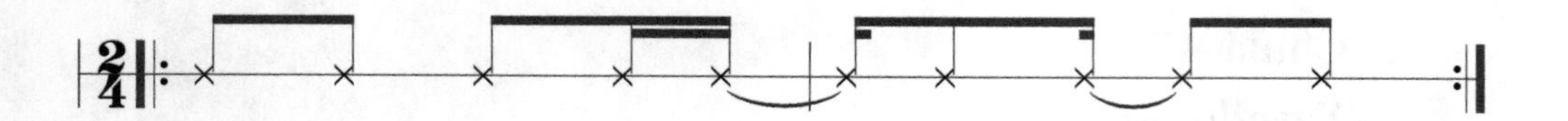

invertendo / *inverted*

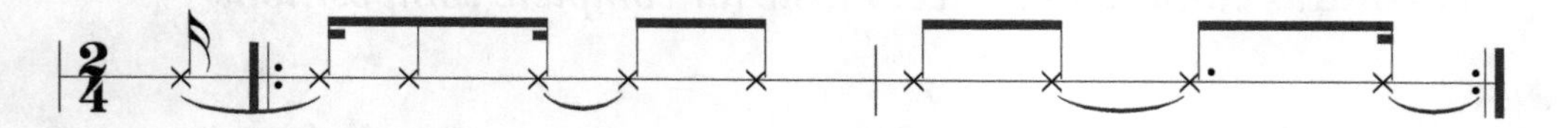

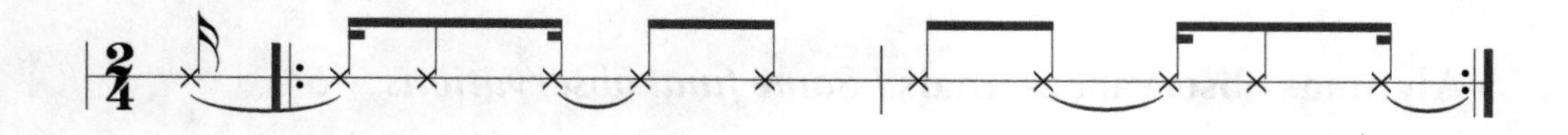

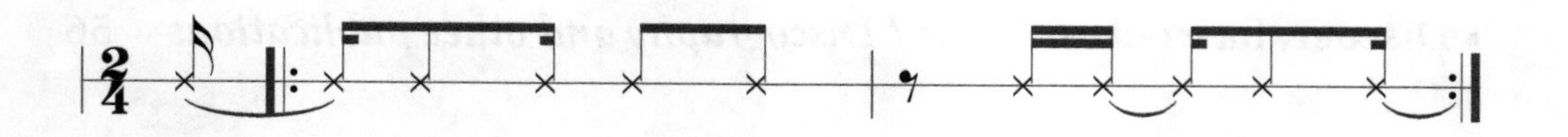

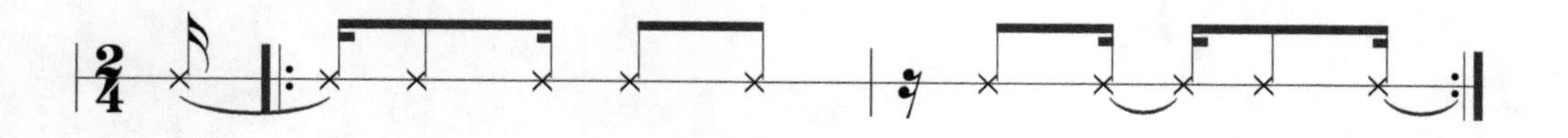

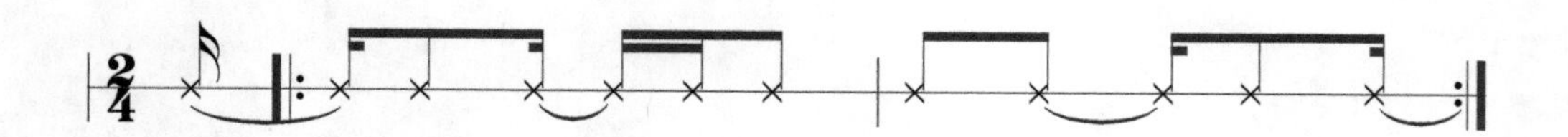

SAMBA

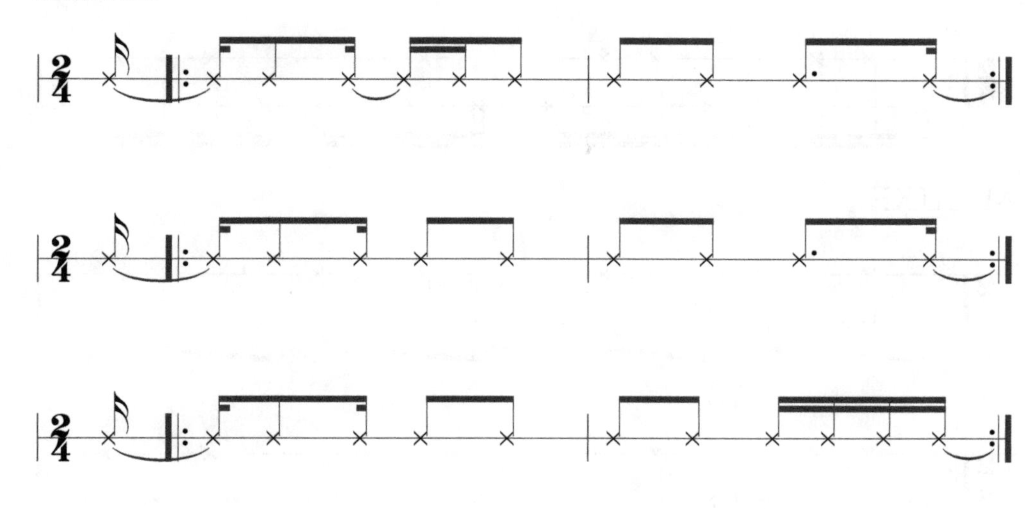

Batendo nas duas pernas / *Tapping on two legs*

perna direita /
right leg
perna esquerda /
left leg

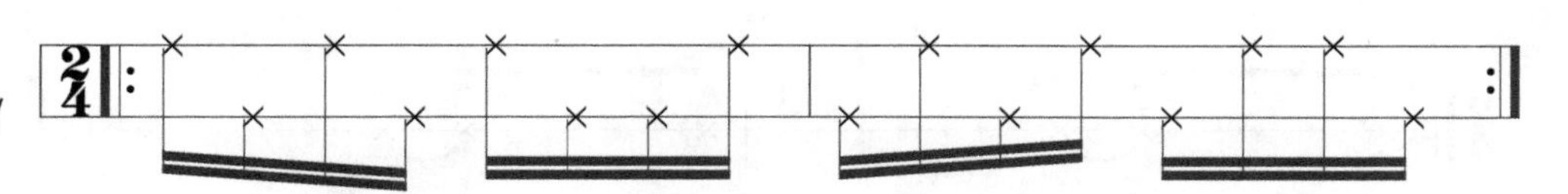

Alternando / *Alternating*

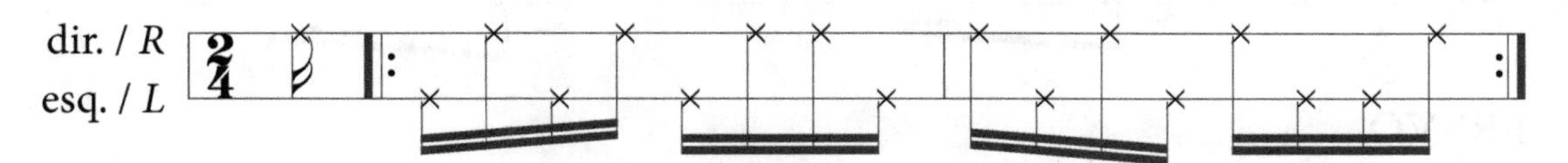

Alternando 2 e 3 / *Alternating 2 and 3*

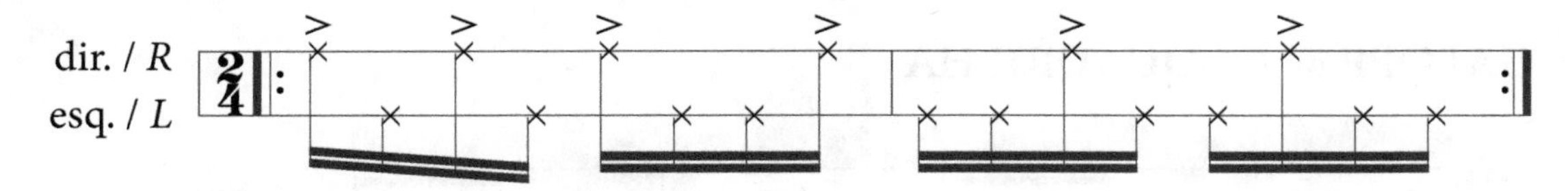

CHORO

Experimente cantar "ta" para as notas agudas e "tum", para as graves.
Try singing "ta" for the high notes and "tum" for the low notes.

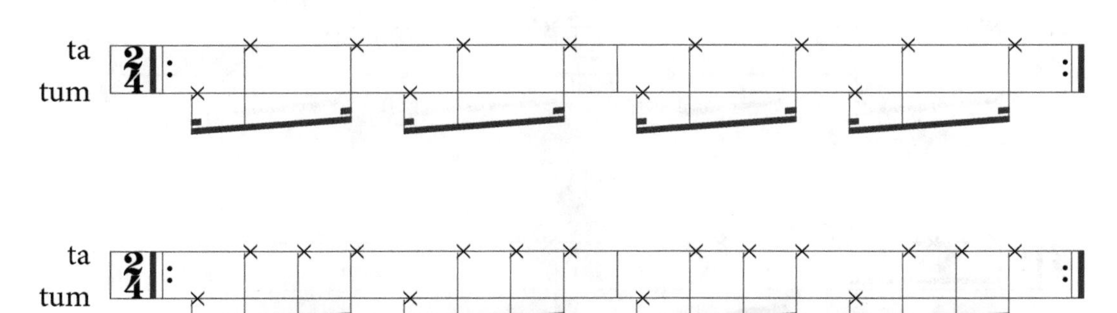

CHORO

ta
tum

MAXIXE

ta
tum

ta
tum

BAIÃO

ta
ra
tum

FREVO

ta
tum

GALOPE ou / *or* QUADRILHA

IJEXÁ ou / *or* AFOXÉ

MARACATU

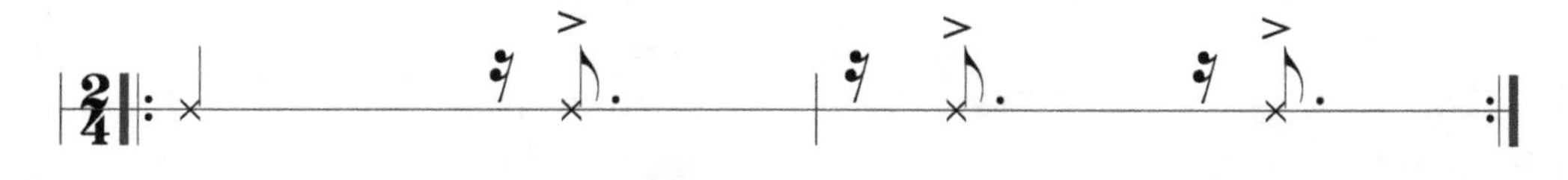

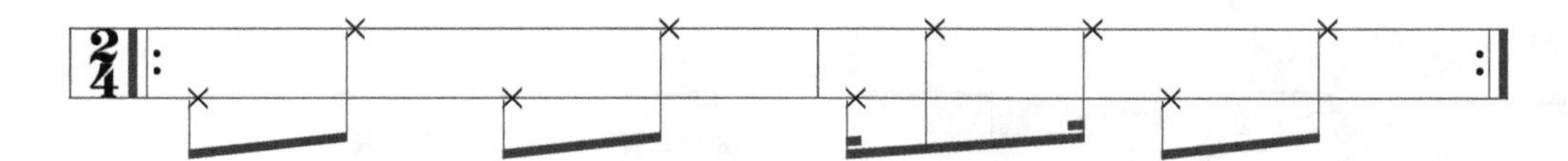

MACULELÊ

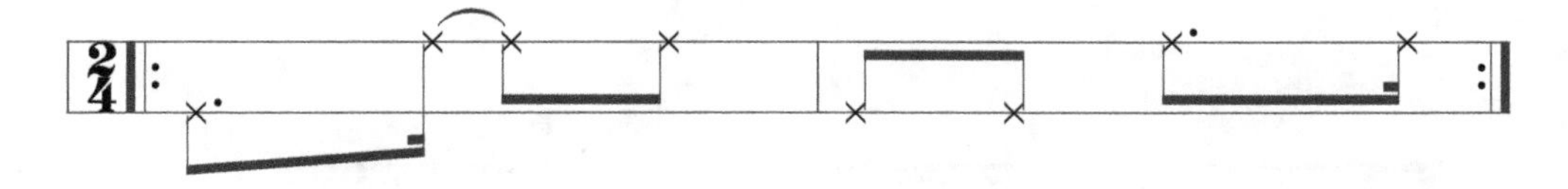

JONGO

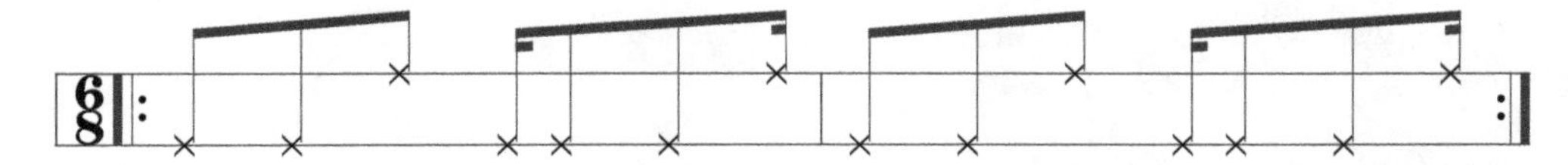

BOSSA-NOVA

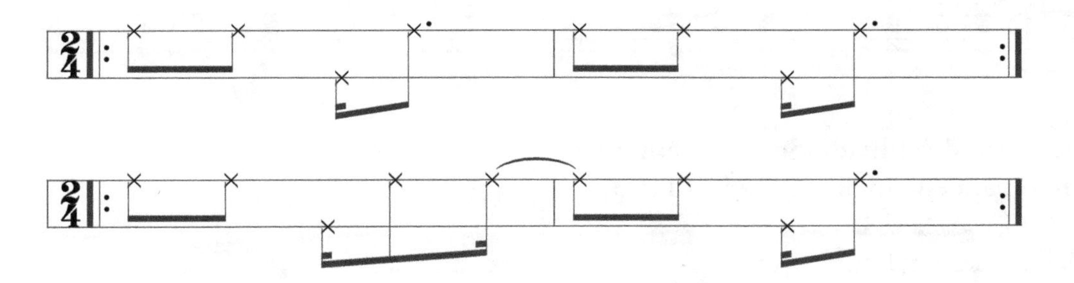

CIRANDA

É basicamente o mesmo ritmo do Frevo, só que mais lento e acentuado no primeiro tempo.
It's basically the same rhythm as Frevo, but just a little slower and accented on the 1st beat.

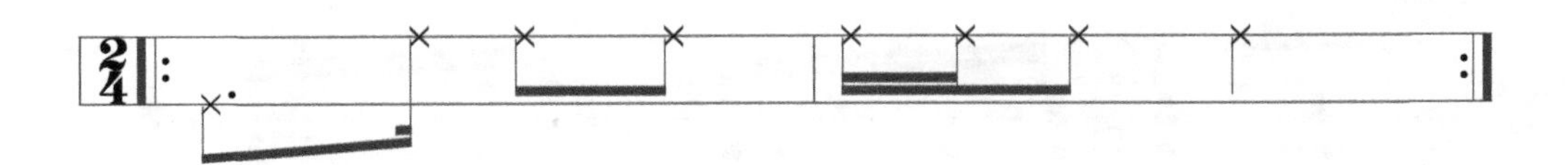

SAMBA DE RODA

Tanto no Samba de Roda, como na Capoeira, é usual o uso de palmas com o ritmo a seguir:
Like in Capoeira, it's common in Samba de Roda to clap this rhythm:

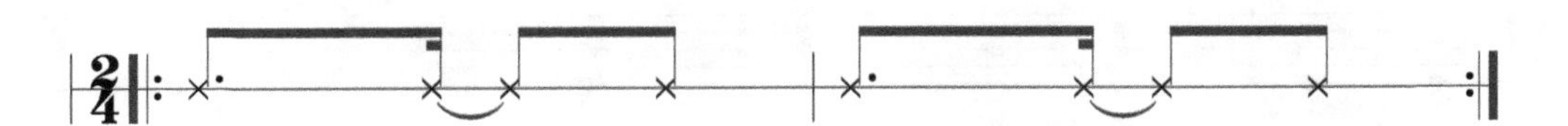

Levadas no violão / *Grooves on guitar*

* Dedos (mão direita):	** *Glossary of fingerings:*
p = polegar	***p*** = *thumb*
i = indicador	***i*** = *index finger*
m = médio	***m*** = *middle finger*
a = anular	***a*** = *ring finger*

SAMBA

Ex. 1 (***i – m – a*** juntos) *
(***i – m – a*** *together*) **

Ex. 2

Ex. 3 ***i – m – a*** juntos (omitindo os baixos)
i – m – a *together (omitting the bass parts)*

Ex. 4 ***i – m – a*** separados (dividindo a mão em três)
i – m – a separately (dividing the hand in 3)

Ex. 5 ***i – m – a*** separados
i – m – a separately

Ex. 6 Variação: acentuar o primeiro ***i***
Variation (accenting the first index finger)

SAMBA

Ex. 7 Misturando as duas
Combining the two

O baixo funciona como o surdo no Samba
The bass functions like the surdo in Samba

Ex. 8 Variação
Variation

Ex. 9 ***i – m, m – a***

Ex. 10 Variando no 4º compasso
Varying the 4th bar

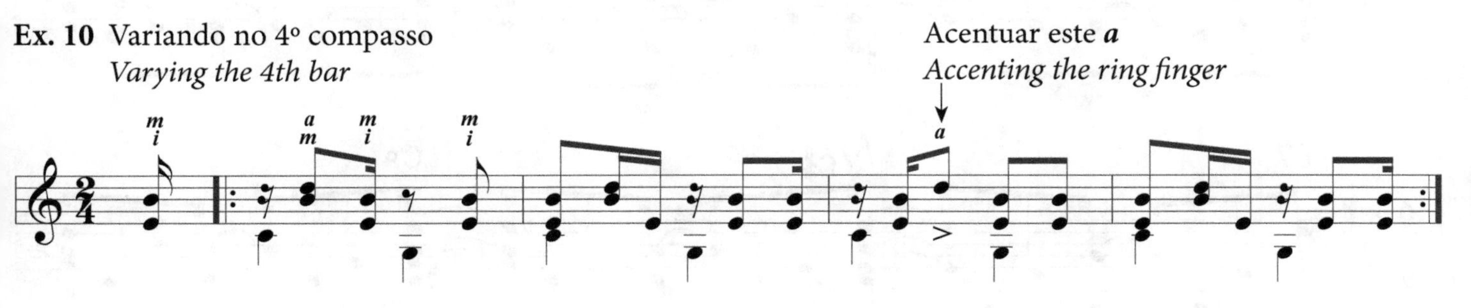

PARTIDO-ALTO

Ex. 11

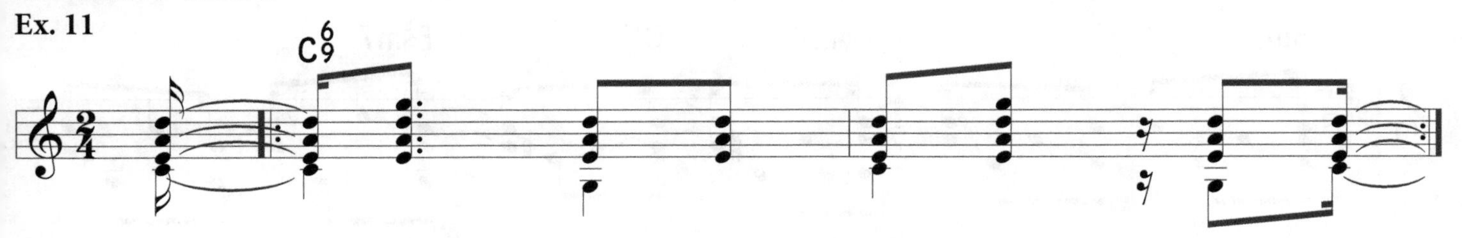

Ex. 12 Variação
Variation

SAMBA

Ex. 13 Subdividindo o polegar
Sub-dividing the thumb

Este segundo baixo é uma nota quase surda.
This second 'C' in the bass line should be muted.

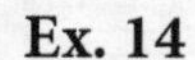

Ex. 14

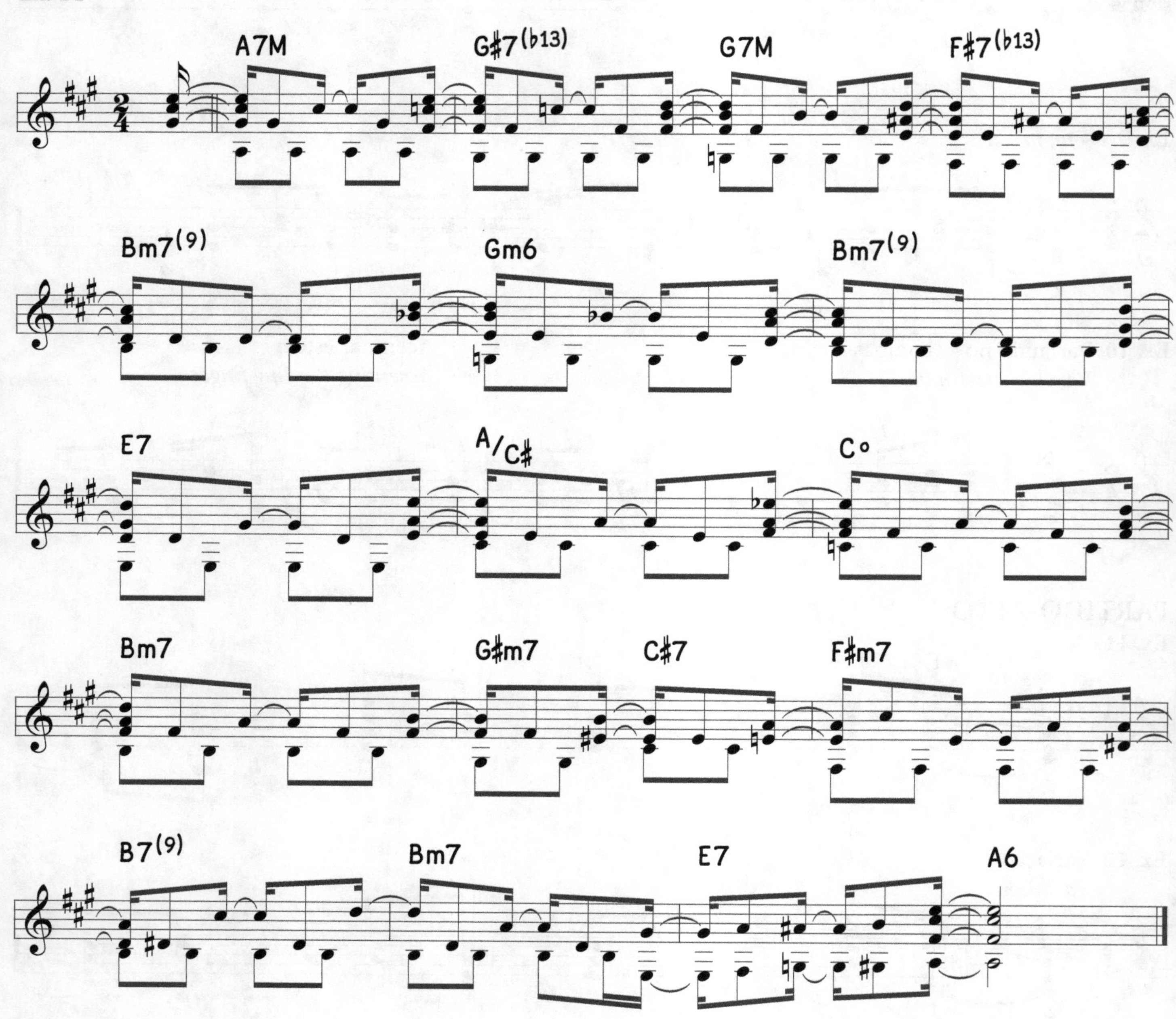

SAMBA

Ex. 15 Separando o anular.
Isolating the ring finger from the others.

Ex. 16

Ex. 17 Grupos de três.
Groupings of 3

Esse recurso fica interessante se tocado com um pandeiro ou outro instrumento fazendo a base do samba em 2.
This idea works best when playing with the pandeiro or another instrument playing in 2

SAMBA

Ex. 18 6ª corda em ré.

The low "E" string should be tuned down to "D".

Grupo de 3 / *Groupings of 3*

Ex. 19 Dois violões

Two guitars

MAXIXE

Os primeiros sambas, como *Pelo telefone* (Donga – 1917), eram tocados como maxixes.
The very first sambas, like Pelo telefone *(Donga – 1917) were played like maxixes.*

MAXIXE

Ex. 30 Na hora de acompanhar uma melodia o ideal é você misturar as levadas. Com o tempo e a prática isso acontecerá naturalmente. Este exemplo é a primeira parte do *Choro da Miranda* (Zé Paulo Becker).

When it comes time to accompany a melody, mixing the grooves would be ideal. With time and practice this will happen naturally. This example is the first part of Choro da Miranda *(Zé Paulo Becker).*

A música completa está na página 54 deste livro.
The whole composition can be found on page 54 of this book.

CHORO

O **choro** nasceu como gênero a partir da maneira como os músicos cariocas interpretavam as danças europeias no final do século XIX. Até hoje, numa roda de choro tocam-se valsa, polca, maxixe. Músicas como *Cheguei* (Pixinguinha) ou *Apanhei-te Cavaquinho* (Nazareth) são consideradas choros, mas o ritmo é de **maxixe**.

***Choro** was born as a genre arising from the manner that musicians from Rio began to play the European dances at the end of the 19th Century. To this day, one can hear valsa, polca and maxixe played at a roda de choro. Compositions like* Cheguei *(Pixinguinha) or* Apanhei-te Cavaquinho *(Nazareth) are considered choros but their rhythm is actually **maxixe**.*

Ex. 31 O acompanhamento do **choro**, na questão harmônica, se vale muito da inversão de acordes. Os acordes vão sendo montados a partir do caminho da linha de baixo.

*What is most important in the accompaniment of **choro**, speaking harmonically, are chord inversions. The chord sequence should be assembled starting from the bass line.*

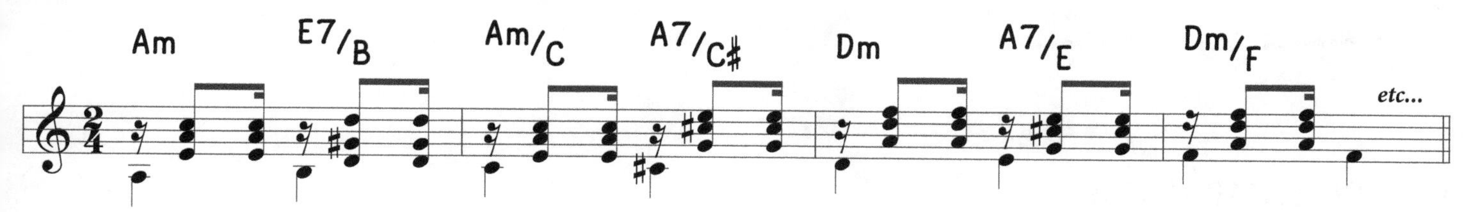

Ex. 32 Variação
Variation

Ex. 33 Repetindo o baixo e alterando com **baixaria**.
Repeating the bass line and altering it with a baixaria *(a little fill commonly played in the bass part).*

CHORO MAXIXE (TANGO BRASILEIRO)

Ex. 34 *Corta-jaca* (Chiquinha Gonzaga).

CHORO SAMBADO

Os **choros sambados** podem ter levadas de **samba**, por exemplo: *Noites Cariocas, Assanhado, Bole-bole, Gostosinho* (Jacob do Bandolim) e *Cochichando* (Pixinguinha).

*The **choro-sambados** lend themselves to be considered sambas, like, for example:* Noites Cariocas, Assanhado, Bole--bole, Gostosinho *(Jacob do Bandolim) and* Cochichando *(Pixinguinha).*

Ex. 35 *Endiabrado* (Zé Paulo Becker)

A versão completa encontra-se na página 51.
The complete version can be found on page 51.

CHORO SAMBADO

Ex. 36 Outra maneira de acompanhar *Endiabrado* (Zé Paulo Becker) é antecipando sempre os acordes.
Another way to accompany this choro is to anticipate the change of harmony by an 8th note.

Ex. 37 Levada mais tradicional. Essa levada me foi mostrada por Toni Azeredo, para minha pesquisa de mestrado.
The most traditional groove, which was shown to me by Toni Azeredo during the research for my Master's Degree.

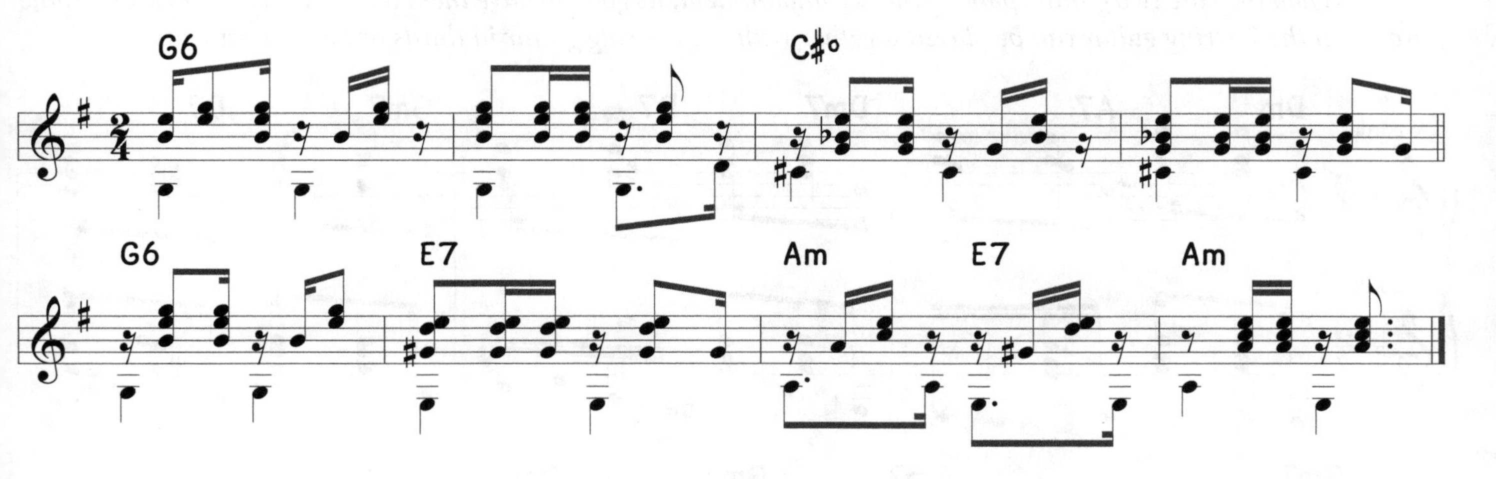

CHORO

Ex. 38 Outra opção.
Another option.

Ex. 39

CHORO

Ex. 40 Outro recurso característico, principalmente no acompanhamento violão de seis cordas no choro, é o que ficou conhecido como "gemedeira", que é um *glissando,* em geral na quarta corda. Um dos mestres desse recurso foi Carlinhos Leite, que fez parte do regional de Jacob do Bandolim e com quem tive a honra de tocar no regional de Deo Rian.

Another characteristic technique, mainly used by the 6-string guitar in choro accompaniment, is known as the "gemedeira", which is a glissando *generally played on the 4th string. One of the masters of this was Carlinhos Leite, who was part of the regional scene with Jacob de Bandolim, and with whom I had the great honor of performing with in the regional group, Déo Rian.*

Ex. 41 Quando se tem dois violões no acompanhamento, é interessante que eles toquem em regiões diferentes. Algumas frases do 7 cordas podem ser feitas juntas pelo 6 cordas, em terças ou mesmo em oitavas.

When they are two guitars playing the accompaniment, its good to have them play in different registers. Some phrases on the 7-string guitar can be played together with the 6-string guitar in thirds or even in octaves.

BAIÃO

Tanto no baião quanto em outros gêneros musicais, o importante é firmar o conceito com os baixos e depois preencher o restante com arpejos ou com acordes.

Baião, like the other styles discussed here, is best executed once you initially master the bass part and then afterwards fill in the rest with arpeggios and chords.

Ex. 42 **Ex. 43** Variação *Variation*

Ex. 44 Mais completa *More complete*

Ex. 45 Mais *More*

Ex. 46 Preenchendo tudo (fica melhor se abafado com a mão esquerda). *Filling in everything (this works best when you mute the strings with your left hand).*

Ex. 47 Preenchendo com outro arpejo. *Filling in with another* arpeggio.

BAIÃO

Ex. 48 Repetindo corda.
Repeating notes on the same string.

Ex. 49 Para essa próxima levada é interessante aproximar mais o punho do tampo e tocar o polegar mais com a polpa. Deve-se abafar, também, a mão direita.

This groove is best played with the wrist of the right hand close to the body of the guitar and using the fleshy part of the thumb (instead of the nail). You should also dampen the strings with the palm of the right hand.

Ex. 50

Ex. 51 Pode-se variar o final com ***m*** ou ***m – a***
You can also vary the ending with a fingering of **m** *or* **m – a**

XAXADO

Ex. 52 É variante do Baião que, assim como os ritmos Xote e Coco, faz parte do **forró**. Forró é, também, o nome dado ao baile em que se dançam esses ritmos.

This is a variation on Baião. Actually, along with other rhythms like Xote and Coco, Xaxado is part of ***forró****, which is the name of the party where these rhythms are danced.*

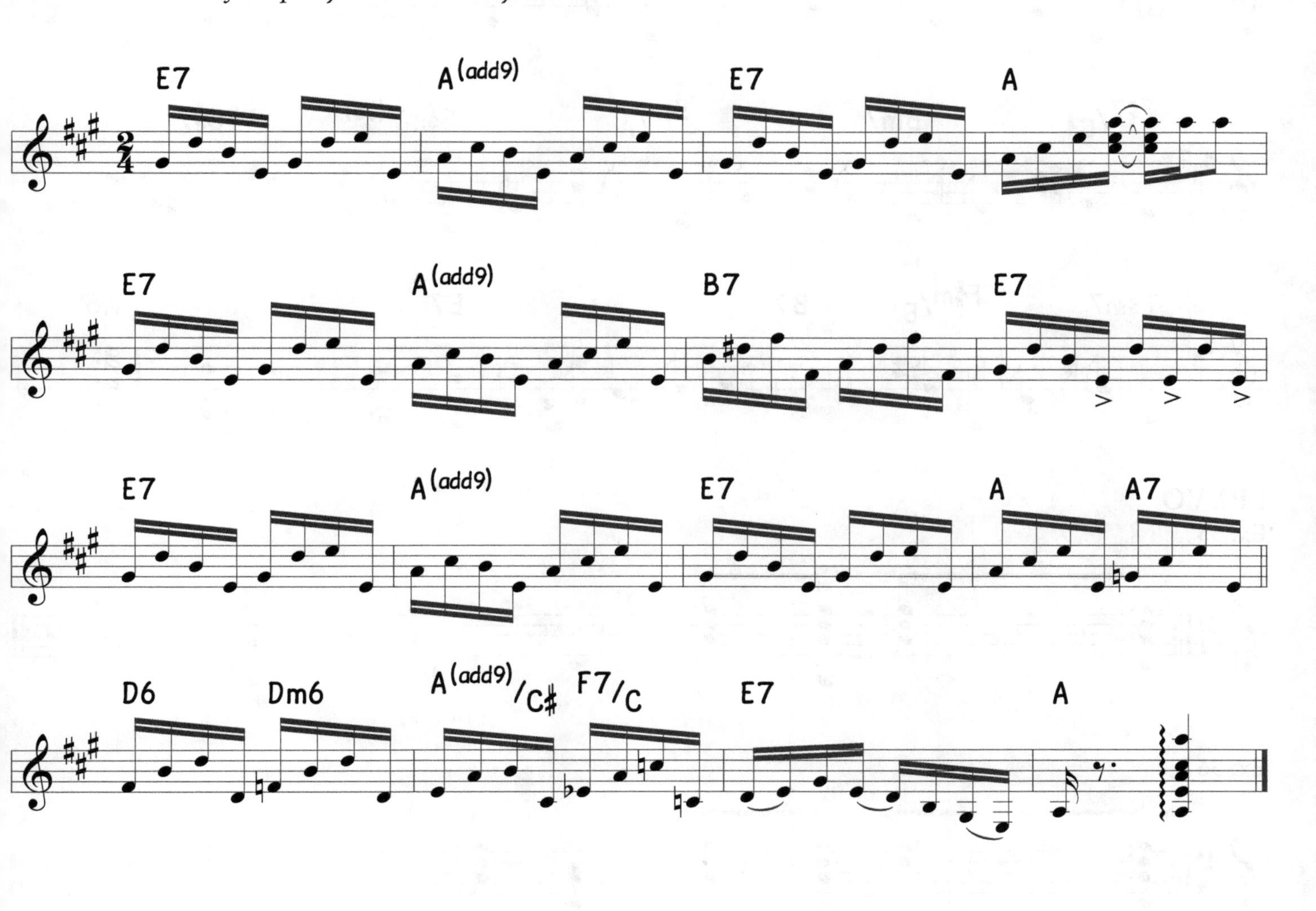

Ex. 53 Variação
Variation

Conceitos como Xaxado, Baião, Coco e Forró não são muito precisos, variando de acordo com a região.
Rhythmic concepts such as Xaxado, Baião, Coco and Forró are not very precise and can vary according to the region where they are played.

XOTE
Ex. 54
A6
E7
A6
A7
D6/9
F#7/C#
Bm7
Bm/A
G#m7(b5)
C#7
F#m7
F#m/E
B7
E7
A6
FREVO
Ex. 55
Ex. 56
Ex. 57
m
a
i
Ex. 58 Variação
Variation
Ex. 59 Misturando
Mixing them together

GALOPE ou / *or* QUADRILHA

Ex. 60

Ex. 61 Variação
Variation

Ex. 62 Variação
Variation

Ex. 63 Com o baixo
With a bass line

BOSSA-NOVA

Ex. 64

Ex. 65 Variando – as antecipações dos acordes no primeiro tempo variam de acordo com a melodia.
Variations – Chordal anticipations on the downbeat may very depending on the melody.

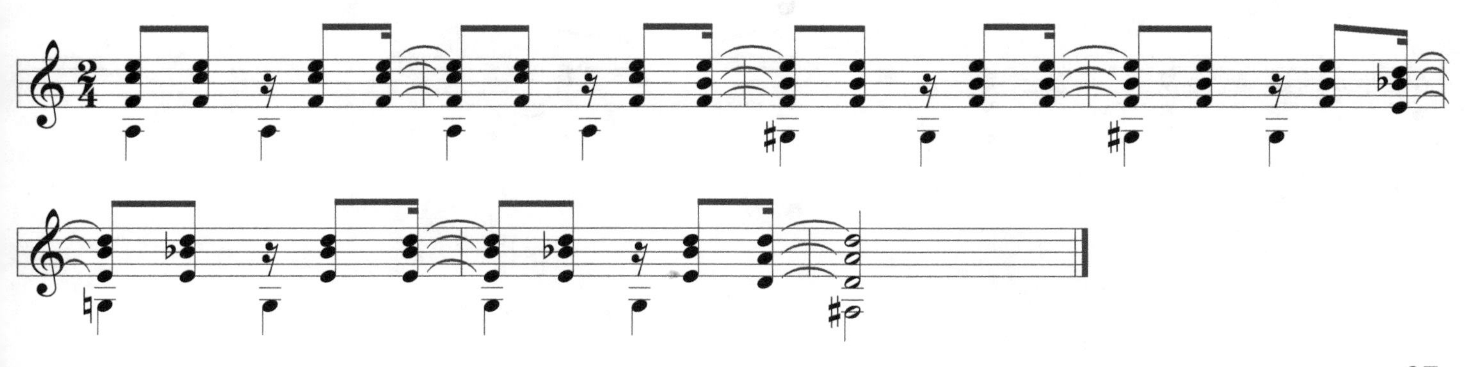

BOSSA-NOVA

Ex. 66

Ex. 67 Variação
Variation

Ex. 68 A **bossa-nova** às vezes vem escrita em 4/4, por influência norte-americana.
***Bossa-nova** is sometimes written in 4/4 because of its North American influence.*

Ex. 69 Com uma base rítmica, principalmente numa introdução, omitir o baixo é um recurso.
Omitting the bass line, but staying inside the rhythmic phrase, is a common technique, especially in an introduction.

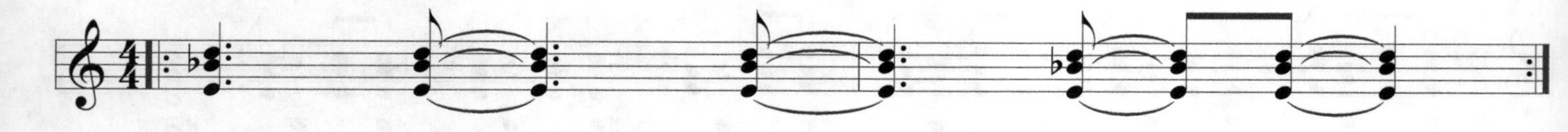

Ex. 70 Introdução da música *De madrugada* (Zé Paulo Becker & Paulo César Pinheiro). **Bossa estilizada.**
Introduction to De Madrugada *(Zé Paulo Becker & Paulo Cesar Pinheiro). A* ***Stylized-Bossa.***

AFOXÉ

Ex. 71 O **afoxé** é uma reunião ou desfile em que se toca o ritmo do **ijexá**. Entretanto, muitas vezes, é atribuído ao ritmo **ijexá** os dois nomes.
*The **afoxé** is a parade or gathering where the **ijexá** rhythm is played. However, the two names are often transposed.*

Ex. 72 A mesma ideia, arpejada
The same idea, arpeggiated

Ex. 73 Mais básica
The most basic

Ex. 74 No tempo forte abafam-se as cordas, batendo com a mão direita.
On the down beats, mute the strings using the palm of the right hand.

AFOXÉ:

Ex. 75 Variação
Variation

Ex. 76 Arpejado
Arpeggiated

SALSA

Ex. 77 A **salsa** não é um gênero brasileiro, mas é muito tocada na noite, em bares, ou mesmo na MPB. Essa levada eu utilizei na gravação da música *Tanta saudade* (Djavan & Chico Buarque), no CD *Bordadeira,* da cantora Beth Marques e na música *Incinero* (Zé Paulo Becker & Mauro Aguiar), no meu CD *Pra Tudo Ficar Bem.*

***Salsa** is not a Brazilian genre, but is played a lot in bars and nightclubs and also appears in MPB (Música Popular Brasileira). I used this groove in the recording of* Tanta Saudade *(Djavan & Chico Buarque) on the CD, Bordadeira, by the singer, Beth Marques, and on the composition,* Incinero *(Zé Paulo Becker & Mauro Aguilar), on my CD,* Pra Tudo Ficar Bem.

Ex. 78 Mais simples
A simpler version

Ex. 79 Levada que utilizo no começo da música *Pé na África* (Zé Paulo Becker), no CD *Pra Tudo Ficar Bem.*

The groove that I used in the beginning of the composition Pé na África *(Zé Paulo Becker) from the CD,* Pra Tudo Ficar Bem.

SAMBA DE RODA

Ex. 80 Essa levada utilizei na gravação da música *Mandingo* (Roque Ferreira & Pedro Luís), no CD *Todo Canto é Reza – Roberta Sá e Trio Madeira Brasil.*

I used this groove for the recording of the composition Mandingo *(Roque Ferreira & Pedro Luis) on the CD* Todo Canto é Reza – Roberta Sá e Trio Madeira Brasil.

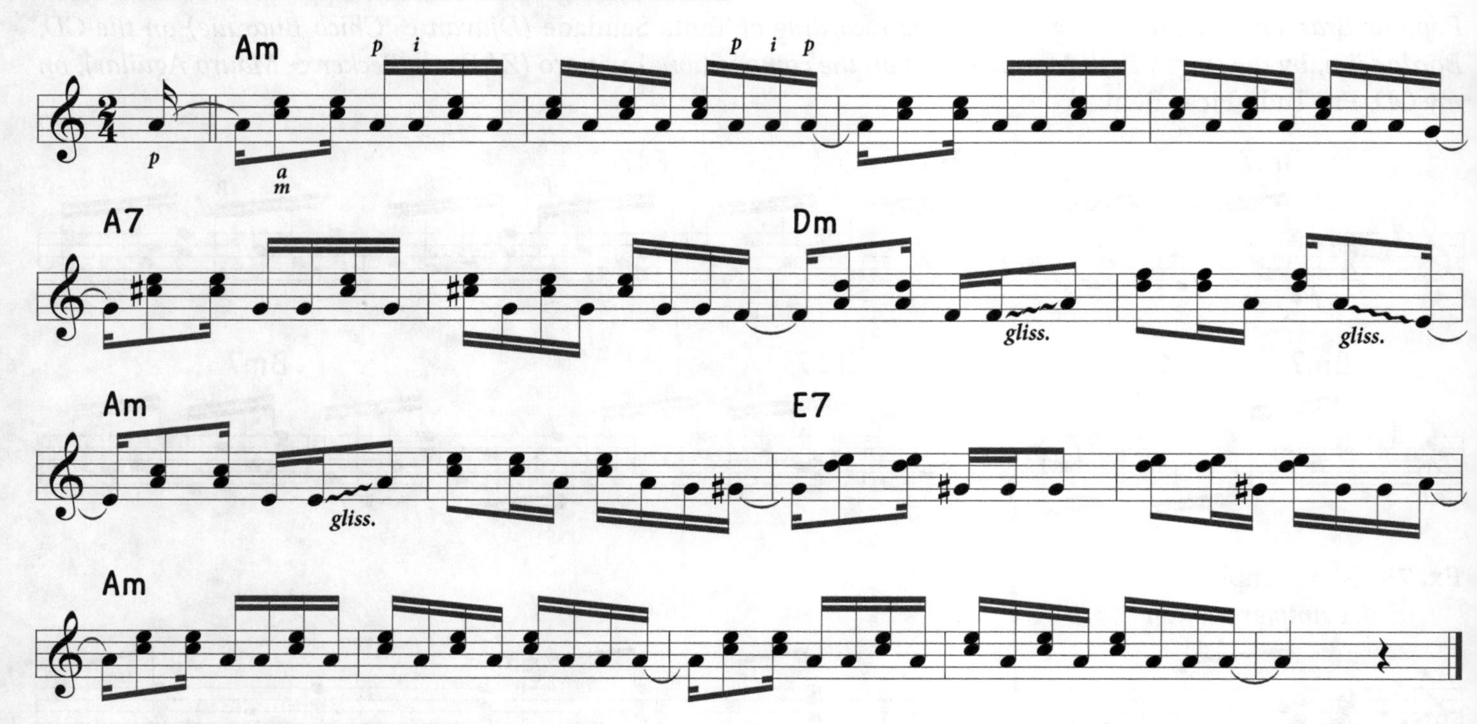

Ex. 81 A levada serve também para **partido-alto**. Esse ***i*** é meio surdo, percussivo, pode ser lá ou mi.

This groove also functions in ***partido-alto****. The note played by the index finger (****i****) should be half-muted, percussive and can be on the notes "A" or "E".*

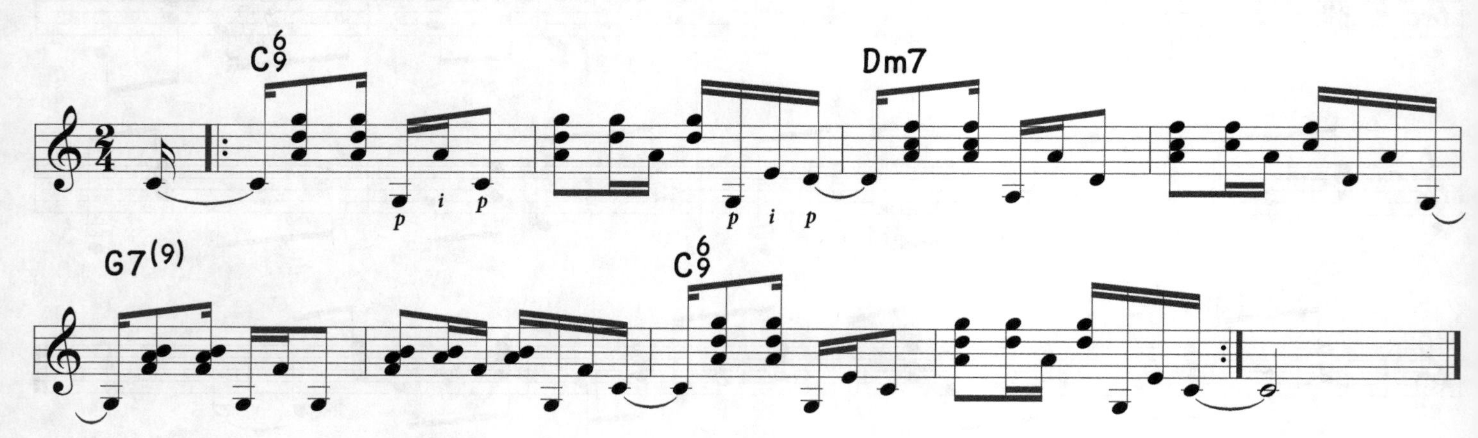

Ex. 82 Variação. Essa levada é inspirada na versão de Marco Pereira em seu livro *Ritmos brasileiros.*

Variation. This groove was inspired by Marco Pereira from his book Ritmos Brasileiros.

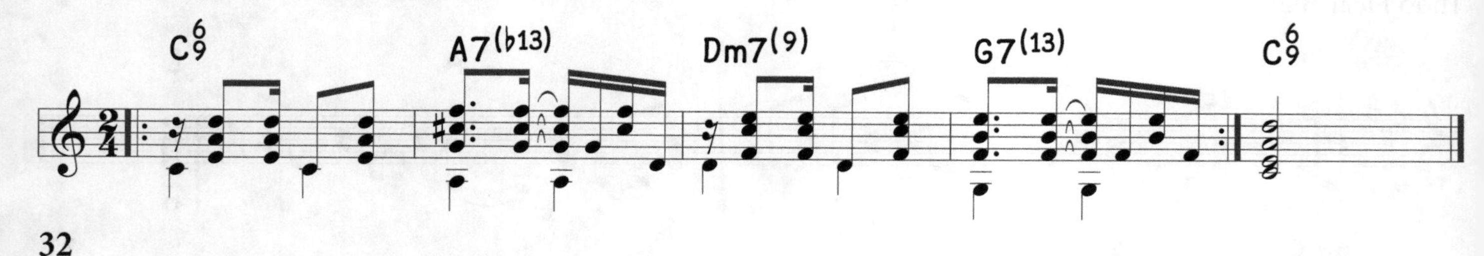

BOLERO

Ex. 83 O **bolero**, assim como a **salsa**, não é exatamente um ritmo brasileiro, mas foi muito tocado na MPB. Utilizei essa levada no meu bolero, com letra de Tiago Torres, *Roda Baiana*, no CD *Pra Tudo Ficar Bem*.

Also, like salsa, the ***bolero*** *is not a Brazilian rhythm, per se, but can be heard a lot in MPB. I used this groove in my bolero,* Roda Baiana *(with lyrics by Tiago Torres) on the CD* Pra Tudo Ficar Bem.

Ex. 84 Variação
Variation

JONGO

Ex. 85 6ª corda em ré.
The low "E" string should be tuned down to "D".

Ex. 86

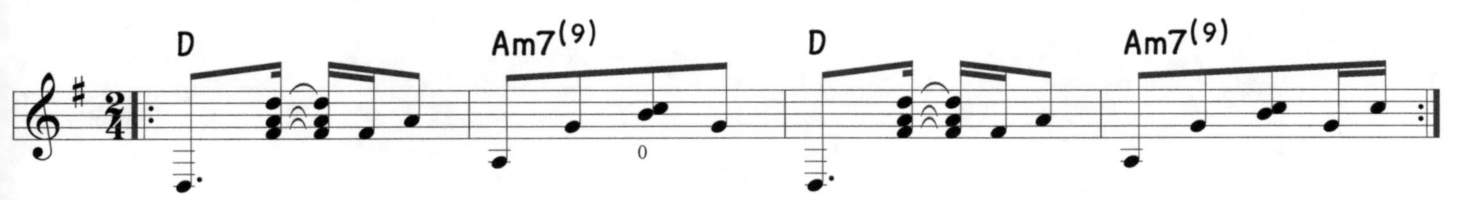

JONGO

Ex. 87

Ex. 88

MARACATU

Ex. 89

Ex. 90

Ex. 91

Gm7 Cm7 D7

AFRO-BRASILEIRO em / *in* 6/8

Ex. 92

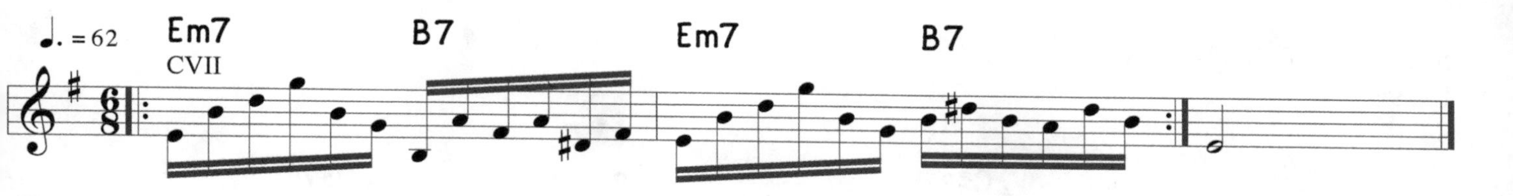

Ex. 93 Variação
Variation

MACULELÊ

Ex. 94

FUNK CARIOCA

Ex. 95 Nota-se, claramente, que o **Funk carioca** surgiu da levada do **Maculelê**.
It is clear to see how ***Funk carioca*** *came directly out of the* ***Maculelê*** *groove.*

LEVADAS PECULIARES / *LESS COMMON GROOVES*

SAMBA (Novos Baianos)
Ex. 96

Ex. 97 Arpejada
Arpeggiated

SAMBA EM ARPEJO

Ex. 98 Esse arpejo sugerindo uma levada eu utilizei no disco *Todo Canto é Reza – Roberta Sá & Trio Madeira Brasil,* na música *Marejada* (Roque Ferreira).

This groove-suggesting arpeggio I used on the CD Todo Canto é Reza – Roberta Sá e Trio Madeira Brasil, *on the composition* Marejada *(Roque Ferreira).*

CHULA

Ex. 99 Como em *Expresso 2222* (Gilberto Gil).
Like on Gilberto Gil's Expresso 2222.

SAMBA

Ex. 100 Alternando 2 e 3
Accenting the 2nd and 3rd sixteenth notes.

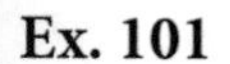
Ex. 101

SAMBA FUNK

Ex. 102 Introdução de *Rua Bariri* (Zé Paulo Becker). Essa levada se confunde, também, com **Partido-alto.**
Introduction to Rua Bariri *(Zé Paulo Becker). This groove can also be considered* ***Partido-alto.***

Ex. 103 Essa levada eu utilizei no arranjo da música *Fato Consumado* (Djavan), no CD *Lendas Brasileiras.*
I used this groove in the arrangement of Fato Consumado *(Djavan), on the CD* Lendas Brasileiras.

CAPOEIRA 1

Ex. 104 Quando a levada vira música
When the groove becomes music

CAPOEIRA 2

Ex. 105 Quando a levada vira música.
When the groove becomes music.

6ª corda em ré.
The low "E" string should be tuned down to "D".

CAPOEIRA 3

Ex. 106 Quando a levada vira música.
When the groove becomes music.

6ª corda em ré.
The low "E" string should be tuned down to "D".

SAMBA

Ex. 107 Repetindo o ***i***
*Repeating the index finger (**i**)*

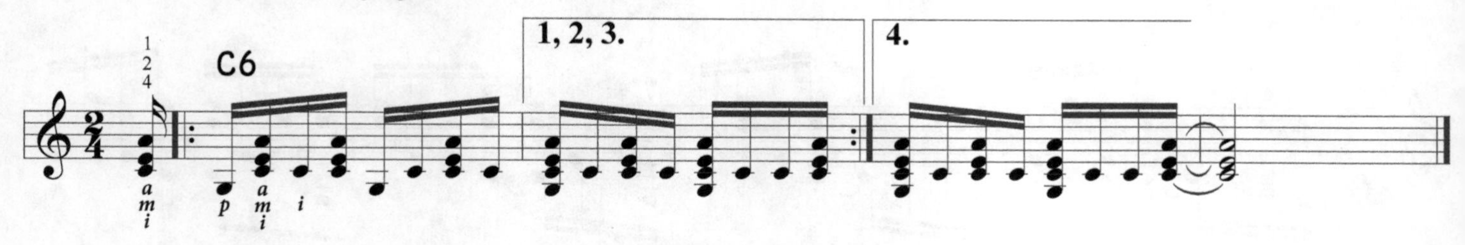

Ex. 108 Ou ainda
Another option

Ex. 109

Ex. 110 Introdução da música *A Gente Samba* no meu CD *Todo Mundo Quer Amar* (vide pág. 55).
Introduction to the composition A Gente Samba, *from my CD* Todo Mundo Quer Amar *(see page 55).*

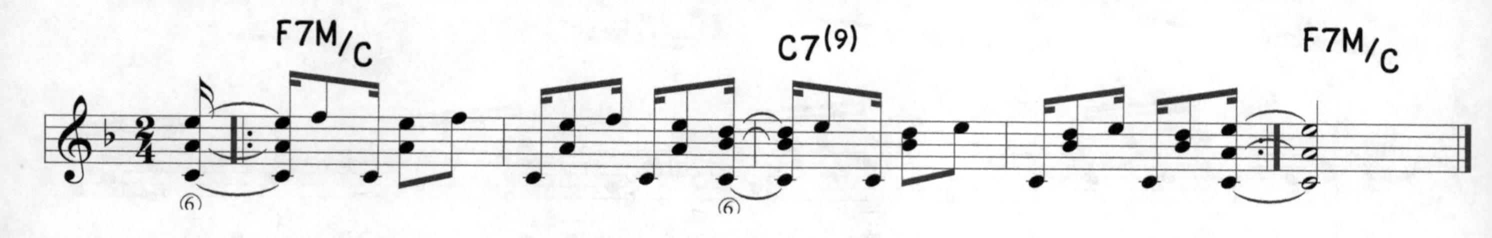

SAMBA

Ex. 111 Variação
Variation

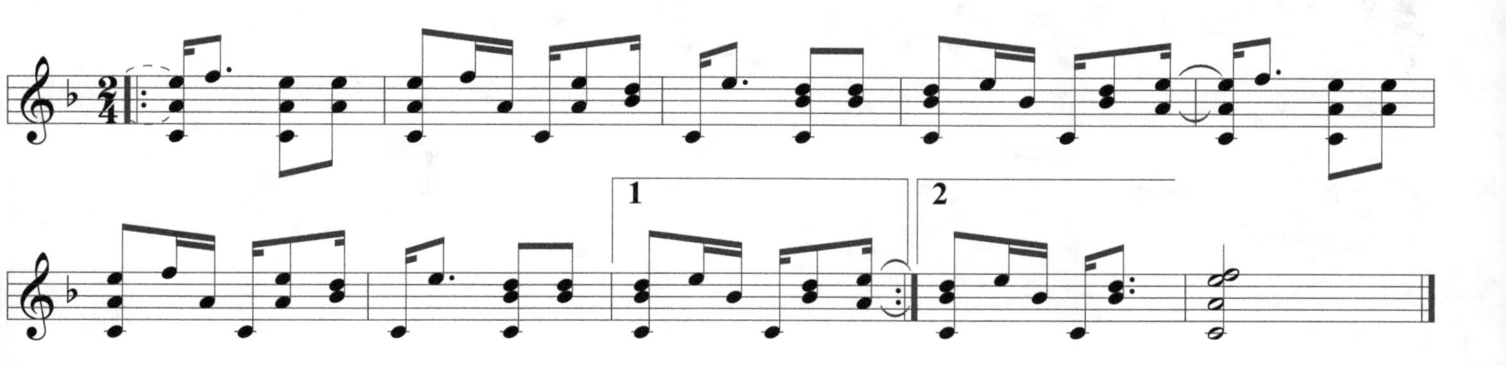

SAMBA POP

Ex. 112

SAMBALANÇO

Ex. 113 Essa levada me foi apresentada pelo amigo guitarrista e violonista Alex Moraes.
This groove was shown to me by my friend, the guitarist Alex Moraes.

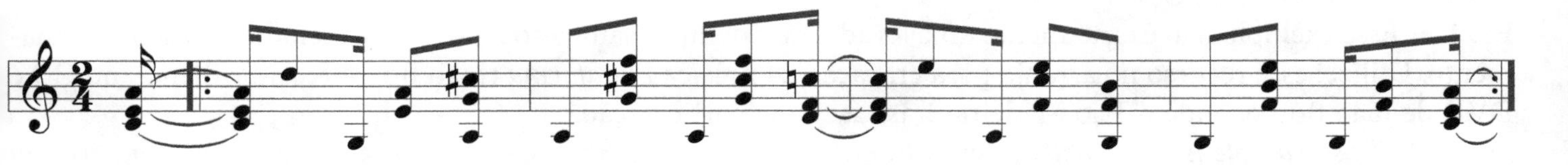

SAMBALANÇO

Ex. 114

POLCA

Ex. 115 A **polca** está presente nas rodas de choro em músicas como *O Gato e o Canário*, *Segura Ele* e *Marreco Quer Água* (Pixinguinha).

***Polca** is found in the "rodas do choro" in compositions like* O Gato e o Canário, Segura Ele *and* Marreco Quer Água *(Pixinguinha).*

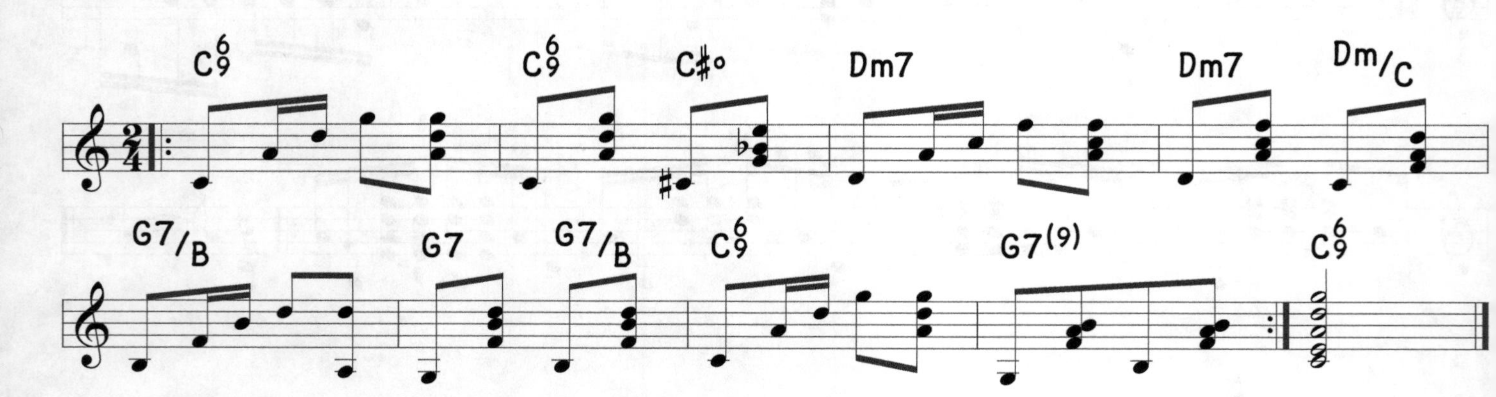

SAMBA EM ARPEJO

Ex. 116 Esse exemplo não é exatamente uma levada, mas define o samba só com a ideia melódica no acompanhamento. Utilizei esse recurso no arranjo para gravação da música *Plataforma* (João Bosco & Aldir Blanc), no CD e DVD de João Bosco, onde o Trio Madeira Brasil faz uma participação.

This example is not exactly a "groove", but is defined as samba mostly because of the melodic material in the accompaniment. I utilized this technique in the arrangement of Plataforma *(João Bosco & Aldir Blanc), for the recording of the CD/DVD Trio Maderia Brasil & João Bosco.*

LEVADAS POLIFÔNICAS / *POLYPHONIC GROOVES*

Ex. 117 Um recurso para se criar uma levada interessante é pensar na linha de baixo como uma ideia de polifonia. Tal conceito soa bem em gêneros de harmonias mais simples como: **samba de roda**, **chula**, **coco**, **xaxado**, etc.

This technique used to create an interesting groove starts with a bass line, conceived as a polyphonic idea. This device works best in music with a simple harmonic structure, such as ***samba de roda, chula, coco, xaxado****, etc.*

Ex. 118 Depois, completa-se com arpejo.
Afterwards, fill it in with an arpeggio.

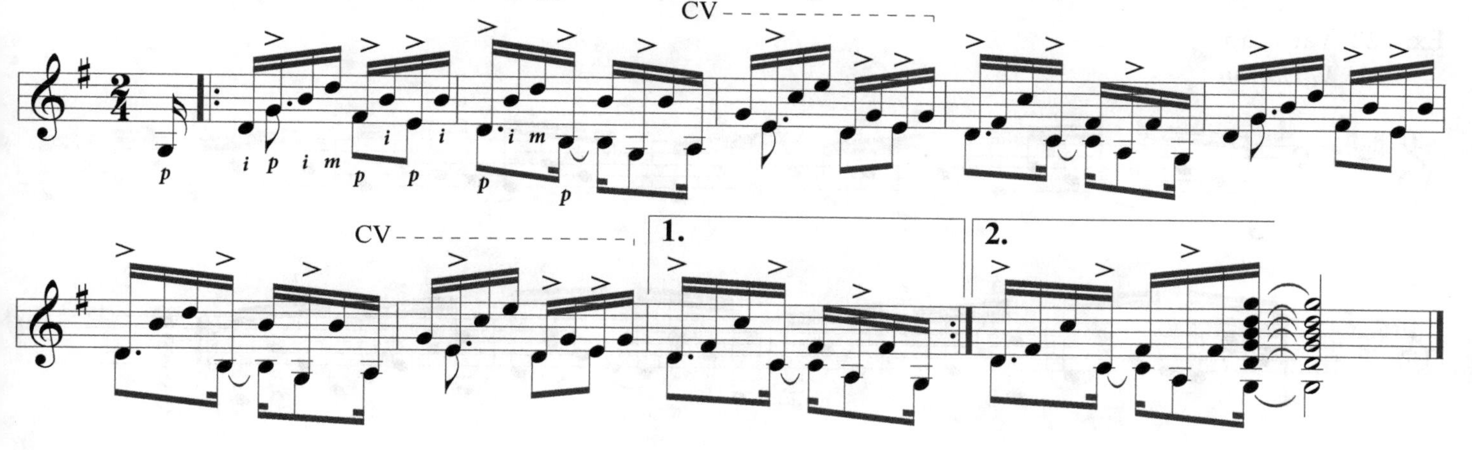

SAMBA DE RODA

Ex. 119

Ex. 120 Ou ainda.
Another option.

CHULA

Ex. 121

Ex. 122 Variação
Variation

COCO

Ex. 123 Quando a levada vira música.
When the groove becomes music.

CHULA

Ex. 124 Quando a levada vira música.
When the groove becomes music.

6ª corda em ré.
The low "E" string should be tuned down to "D".

XAXADO

Ex. 125 Quando a levada vira música.
When the groove becomes music.

BAIÃO

Quando a levada vira música.

When the groove becomes music.

Ex. 126 Outro exemplo de levada polifônica.

Another example of a polyphonic groove.

6ª corda em ré.

The low "E" string should be tuned down to "D".

O baixo ...

The bass line…

A seguir, três músicas para a prática de algumas levadas.
To follow, three compositions with which to practice the grooves that were covered in this book.

ENDIABRADO (Zé Paulo Becker) – *Choro*

CHORO DA MIRANDA (Zé Paulo Becker) – *Maxixe*

INCINERO (Zé Paulo Becker) – *Salsa*

Algumas observações finais:

A levada está a serviço da melodia. Por isso é necessário observar quando a melodia antecipa ou quando cai no tempo.

Ao acompanhar uma melodia, é interessante explorar as inversões de acordes; isso torna o arranjo mais colorido e, consequentemente, mais rico. Procure praticar as levadas utilizando também as inversões.

Pode haver pequenas diferenças entre o que foi notado e o que foi gravado. Em música popular a escrita não é tão rigorosa como na música erudita e serve, muitas vezes, para dar uma ideia aproximada.

Procure imaginar melodias sobre as levadas aqui apresentadas. Muitas vezes uma nova composição surge a partir de uma levada.

Algumas das levadas podem servir, também, como exercícios de arpejo de mão direita. Procure praticar com esse intuito os exemplos da seção Levadas Polifônicas.

Só a prática vai deixar o violonista seguro e solto em determinada levada. Pratique em diversos andamentos, usando o metrônomo e indo do lento ao ligeiro.
Gosto da história do turista que pede informação em Nova Iorque a um pianista (aí no caso poderia ser um violonista):
"Como chego ao Carniege Hall?
E o pianista responde: – Pratique, pratique, pratique."

Some final observations:

The groove is in the service of the melody. Therefore it is important for you to be aware of when the melody is antecipated or delayed.

When it comes time to create an accompaniment to a melody, you should explore chordal inversions. This will make the arrangement more colorful and, ultimately, richer. Practice these grooves using the inversions.

There may be small differences between what was notated and what was recorded. In popular music, notation is not as strict as it is in classical music. Oftentimes, it serves to give a rough idea.

Try to imagine melodies on top of these grooves presented here. Many times, a new composition can come from a groove idea.

Some of the grooves can also serve as right hand arpeggio exercises. With this in mind, try practicing the examples in the section entitled, "Polyphonic Grooves".

Only through practice will the guitarist be secure and free in the execution of these grooves. One should practice at different tempos, using the metronome to go from slow to fast tempos.
I like the story of the tourist who seeks information from a pianist in NY (it could just as well be a guitarist):
– "How do I get to Carniege Hall?"
And the pianist responds: – "Practice, practice, practice!"

Sobre o autor

Violonista e compositor, Zé Paulo Becker tem dez CDs gravados – quatro com o Trio Madeira Brasil: *Trio Madeira Brasil* (1998), *Guilherme de Brito & TMB* (2003), *TMB & Convidados* (2004), *Roberta Sá & TMB* (2010), e seis de sua carreira como solista e compositor: *Lendas Brasileiras* (2001), *Sob o Redentor* (2004), *Um Violão na Roda de Choro* (Biscoito Fino, 2007), *Pra Tudo Ficar Bem* (Biscoito Fino, 2009), *Todo Mundo Quer Amar* (Borandá, 2013) e *As 4 Estações Cariocas* (Tratore, 2011), este como intérprete junto ao Quarteto Radamés Gnatalli.

Como compositor é parceiro de Paulo César Pinheiro, Aldir Blanc, Roque Ferreira, Mauro Aguiar, Edu Krieger, Moyseis Marques, Tiago Torres da Silva, Pedro Luís, entre outros. Tem composições gravadas por Ney Matogrosso, Roberta Sá, Marcos Sacramento, Mariana Baltar, Valéria Lobão, Isabel Padovani, Paula Santoro, Nicolas Krassik e pelo Trio Madeira Brasil.

Como violonista, antes de enveredar pela música popular brasileira ganhou o Concurso Nacional de Violão Villa-Lobos (1990) e ficou em terceiro lugar na edição internacional (1992). Em 2009 venceu o III Festival de Música Instrumental de Guarulhos. Em 2011 o disco com o *Trio Madeira Brasil & Roberta Sá* ganhou o Prêmio da Música Brasileira como o melhor álbum de MPB.

Já se apresentou com o Trio Madeira ou como solista em inúmeros países: Argentina, Chile, Colômbia, Portugal, França, Itália, Inglaterra, Bélgica, Holanda, Alemanha, Suiça, Áustria, Dinamarca, Rússia, Indonésia, Cingapura, Malásia, África do Sul, Moçambique e Tahiti.

Tocou e gravou com Ney Matogrosso, Elza Soares, Armandinho, Wagner Tiso, Francis Hime, Roberta Sá, Yamandu Costa, Gal Costa, Leila Pinheiro, João Bosco, Marco Pereira, Paulo Moura, Chico Buarque e Milton Nascimento.

Tem um álbum de partituras com 17 músicas suas para violão e outros instrumentos intitulado *Pra Tocar na Roda* e lança agora o livro *Violão Popular Brasileiro*, com 25 peças para violão solo. Desenvolve junto à sua carreira artística um forte trabalho didático. Foi professor substituto da UNI-Rio de 2011 a 2013 e já lecionou em diversos cursos de música pelo Brasil.

Apresenta seu trabalho como violonista e compositor em vários formatos, solo, duo, trio e quarteto. Toca desde 1998 todas as segundas-feiras no Bar Semente, na Lapa, Rio de Janeiro.

About the Author

Acoustic guitarist and composer, Zé Paulo Becker, has recorded 10 CDs, 4 with the Trio Madeira Brasil: Trio Madeira Brasil *(1998),* Guilherme de Brito & TMB *(2003),* TMB & Convidados *(2004),* Roberta Sá & TMB *(2010), and another 6 as soloist and composer:* Lendas Brasileiras *(2001),* Sob o Redentor *(2004),* Um Violão na Roda de Choro *(2007),* Pra Tudo Ficar Bem *(2009),* Todo Mundo Quer Amar *(2013) and* As 4 Estações Cariocas, *the latter just as soloist with the Quarteto Radamés Gnatalli.*

As a composer, he has collaborated with Paulo César Pinheiro, Aldir Blanc, Roque Ferreira, Mauro Aguiar, Edu Krieger, Moyseis Marques, Tiago Torres da Silva, Pedro Luís, among others. His compositions have been recorded by Ney Matogrosso, Roberta Sá, Marcos Sacramento, Mariana Baltar, Valéria Lobão, Isabel Padovani, Paula Santoro, Nicolas Krassik and the Trio Madeira Brasil.

As a classical guitarist, before embarking on the path of Brazilian Popular Music, he won the Concurso Nacional de Violão Villa-Lobos (the Villa-Lobos National Guitar Competition) in 1990 and came in Third Place in the international edition in 1992. In 2009, he won the Festival de Música Instrumental de Guarulhos. In 2011, his album with Trio Madeira Brasil & Roberta Sá won the Prêmio da Música Brasileira (Brazilian Music Awards) in the category of best album of MPB (Música Popular Brasileira).

He has performed and recorded with the Trio Madeira Brasil, or as a soloist, in Argentina, Chile, Colombia, Portugal, France, Italy, England, Belgium, Netherlands, Germany, Switzerland, Austria, Denmark, Russia, Indonesia, Singapore, Malaysia, South Africa, Mozambique and Tahiti.

He has played and recorded with Ney Matogrosso, Elza Soares, Armandinho, Wagner Tiso, Francis Hime, Roberta Sá, Yamandu Costa, Gal Costa, Leila Pinheiro, João Bosco, Marco Pereira, Paulo Moura, Chico Buarque and Milton Nascimento.

He has published a book of scores for 17 of his compositions for guitar and other instruments entitled Pra Tocar na Roda *and* Violão Popular Brasileiro, *with 25 songs for guitar solo. Alongside his artistic career, he has developed a strong curriculum in education. He was a substitute teacher at UNI-Rio from 2011 to 2013 and has taught several music courses in Brazil.*

He presents his work as guitarist and composer in various formats: solo, duo, trio and quartet. Since 1998 he has played every Monday night at the Semente Bar, in Lapa, Rio de Janeiro.

Discografia / *Discography*

www.zepaulobecker.com.br

Lendas brasileiras, 2001

Sob o Redentor, 2004

Um Violão na Roda de Choro, 2007

Pra Tudo Ficar Bem, 2009

Todo Mundo Quer Amar, 2013

As 4 Estações Cariocas, 2011

Cainã Cavalcante e ZPB – Parceria, 2017

Violão, Amigos e Canções, 2018
– também em DVD

Choro, 2018

disponível em / *available on*

MUSIC DEEZER Spotify

Com o Trio Madeira Brasil / *with* Trio Madeira Brasil

www.triomadeirabrasil.com.br

Trio Madeira Brasil, 1998 / 2011

Guilherme de Brito e TMB, 2003

TMB e Convidados, 2004

Roberta Sá e TMB, 2010

Ao vivo em Copacabana, 2016
– CD / DVD

disponível em / *available on*

MUSIC DEEZER Spotify

Outros livros / *Other publications*

Pra Tocar na Roda, 2006

Violão Popular Brasileiro, 2018

Índice dos áudios / *Audios index*

zepaulobecker.com.br
senha: levadasbra

zepaulobecker.com.br
password: levadasbra

faixas / *tracks*	
1 • ex. 1 – 10	(BRJPK1300001)
2 • ex. 11 – 14	(BRJPK1300002)
3 • ex. 15 – 16	(BRJPK1300003)
4 • ex. 17 – 19	(BRJPK1300004)
5 • ex. 20 – 29	(BRJPK1300005)
6 • ex. 30	(BRJPK1300006)
7 • ex. 31 – 34	(BRJPK1300007)
8 • ex. 35 – 36	(BRJPK1300008)
9 • ex. 37 – 40	(BRJPK1300009)
10 • ex. 41	(BRJPK1300010)
11 • ex. 42 – 51	(BRJPK1300011)
12 • ex. 52 – 53	(BRJPK1300012)
13 • ex. 54	(BRJPK1300013)
14 • ex. 55 – 59	(BRJPK1300014)
15 • ex. 60 – 63	(BRJPK1300015)
16 • ex. 64 – 70	(BRJPK1300016)
17 • ex. 71 – 76	(BRJPK1300017)
18 • ex. 77 – 79	(BRJPK1300018)
19 • ex. 80	(BRJPK1300019)
20 • ex. 81 – 82	(BRJPK1300020)
21 • ex. 83 – 84	(BRJPK1300021)

faixas / *tracks*	
22 • ex. 85 – 88	(BRJPK1300022)
23 • ex. 89 – 91	(BRJPK1300023)
24 • ex. 92 – 93	(BRJPK1300024)
25 • ex. 94 – 95	(BRJPK1300025)
26 • ex. 96 – 97	(BRJPK1300026)
27 • ex. 98 – 101	(BRJPK1300027)
28 • ex. 102 – 103	(BRJPK1300028)
29 • ex. 104	(BRJPK1300029)
30 • ex. 105	(BRJPK1300030)
31 • ex. 106	(BRJPK1300031)
32 • ex. 107 – 111	(BRJPK1300032)
33 • ex. 112 – 114	(BRJPK1300033)
34 • ex. 115	(BRJPK1300034)
35 • ex. 116	(BRJPK1300035)
36 • ex. 117 – 118	(BRJPK1300036)
37 • ex. 119 – 120	(BRJPK1300037)
38 • ex. 121 – 122	(BRJPK1300038)
39 • ex. 123	(BRJPK1300039)
40 • ex. 124	(BRJPK1300040)
41 • ex. 125	(BRJPK1300041)
42 • ex. 126	(BRJPK1300042)

Printed in the USA
CPSIA information can be obtained
at www.ICGtesting.com
LVHW051156011023
759762LV00054BA/346